LOUIS LE MAGNÉTISEUR
est le trois cent trente-troisième livre publié par Les éditions JCL inc.

Catalogage avant publication de Bibliothèque et Archives Canada

Gauthier, Serge, 1958-

Louis le magnétiseur

ISBN 2-89431-333-0

1. Tremblay, Godefroy - Romans, nouvelles, etc. I. Titre

PS8613.A967L68 2005 C843'.6 C2004-942100-X
PS9613.A967L68 2005

Édition originale : mars 2005

LOUIS LE MAGNÉTISEUR

Récit

930, rue Jacques-Cartier Est,
CHICOUTIMI (Québec) G7H 7K9 Canada
Tél. : (418) 696-0536 – Téléc. : (418) 696-3132 www.jcl.qc.ca
ISBN 2-89431-333-0

Serge Gauthier

LOUIS LE MAGNÉTISEUR

LES ÉDITIONS JCL

Nous reconnaissons l'aide financière du gouvernement du Canada par l'entremise du Programme d'aide au développement de l'industrie de l'édition (PADIÉ) pour nos activités d'édition. Nous bénéficions également du soutien de la SODEC et, enfin, nous tenons à remercier le Conseil des Arts du Canada pour l'aide accordée à notre programme de publication.

Gouvernement du Québec – Programme de crédit d'impôt pour l'édition de livres – Gestion SODEC

À mes parents,
Léonard Gauthier et Aurore Lavoie.

DU MÊME AUTEUR :

Raconte-moi... La rivière Malbaie, Québec, Presses de l'Université Laval, 2004, 127 p.

Charlevoix, Collection « Histoire en bref » numéro 4, Québec, PUL-IQRC, 2002, 175 p.

Marius Barbeau, le grand sourcier, Montréal, Éditions XYZ, 2001, 144 p.

Histoire de Charlevoix, Québec, Éditions de l'IQRC, 2000, 387 p.

Et j'ai vu : vous aviez péché
contre le Seigneur votre Dieu en vous
fabriquant un veau de métal fondu;
vous n'aviez pas tardé à vous écarter
du chemin que le Seigneur avait prescrit.

Livre du Deutéronome

Note de l'auteur

Ce récit est basé sur une documentation archivistique que j'ai recueillie et s'inspire de faits qui se sont réellement produits au milieu du XIXe siècle dans l'arrière-pays de la région de Charlevoix.

S. G.

Prologue

Sœur Marie de la Pitié va mourir!

La nouvelle envahit bientôt le couvent des Sœurs de la Congrégation de Chicoutimi. En ce froid matin de janvier 1930, c'est l'une des doyennes de la communauté qui se meurt.

La supérieure du couvent s'interroge au sujet de l'âge de Sœur Marie de la Pitié: elle a quatre-vingt-dix ou peut-être quatre-vingt-douze ans, mais personne ne l'a jamais su exactement... C'est une religieuse si priante, si dévouée, occupée toute sa vie aux humbles tâches ménagères et qui ne s'en plaignait jamais. Et pourtant, elle va mourir. Elle a demandé à se confesser. Elle qui est si bonne, si pure. Elle pourrait bien s'en dispenser, car le bon Dieu va certainement l'accueillir avec joie dans ce ciel qu'elle a pleinement mérité, pense encore la supérieure.

Mais Sœur Marie de la Pitié a souhaité voir un prêtre avant de mourir. Il faut donc lui trouver un confesseur au plus vite afin qu'il se rende à son chevet. Il semble bien que Sœur Marie de la Pitié ne passera pas la nuit. Il faut rejoindre sans délai l'abbé Eugène Lapointe du Grand Séminaire de Chicoutimi. Il pourra venir au couvent rapidement.

I

Éblis! Éblis!
Ô toi, Lucifer!

J'étais, moi Godefroy Tremblay, apôtre du Seigneur, prêtre de sa Sainte Église catholique et me voilà perdu. Cette île aux Coudres m'a vu naître. Elle me verra mourir. Je serai sans repos. Je ne verrai pas le Seigneur! Je ne connaîtrai pas la félicité du ciel! Je suis perdu.

Je sais bien que c'est toi, Satan, qui m'as conduit sur cette île infâme! Je connais le vent mauvais poussant vers les territoires désolés les âmes impies! Je suis un damné de la nuit et cette île est une terre de sable! Il n'y a que du sable autour de moi!

Mes mains tremblent. Le fleuve résonne de toutes ses vagues. Le vent m'étourdit. Ce vent éperdu. Il souffle si fort. Il lève de terre ce sable que je tiens dans mes mains. Ce sable responsable de tout. Et puis ce faux trésor, triste et inutile objet de ma honte. De ma déchéance. Ce sable du cap aux Corbeaux. Du cap de tous les diables et de l'enfer si proche de moi. Où je réside déjà.

Je suis exilé chez moi. Impuissant à sortir de cette île. Je ne puis plus bouger d'ici. Excommunié, je suis comme excommunié. Mon saint évêque ne veut plus que je sorte de cette île. Misérable Louis Larouche! Magnétiseur à la parole attirante. Bien trop suave. Toi sans instruction et sans savoir. Avec seulement le mensonge et la damnation sur les lèvres. Tu m'as troublé. Tu m'as dérouté. Je t'ai suivi. Je te maudis!

II

Maudite église!

J'avais beau être l'abbé Godefroy Tremblay, curé de Sainte-Agnès, je maudissais cette église avant même qu'elle ne soit construite! De pierre. Il fallait qu'elle soit construite en pierre. Surtout pas de bois. Certainement pas de ce pauvre bois des alentours de Sainte-Agnès.

Elle me paraît maintenant si misérable, cette paroisse où je fus curé autrefois. Un curé sans église. Au cœur de la forêt de cette terre du nord. J'étais chargé de faire bâtir une église. C'était à l'automne de 1837. Je me souviens. Je voulais que cette église soit en pierre.

Et mon évêque le souhaitait aussi. Monseigneur Flavien Turgeon me semblait un homme droit. Il savait de quoi il parlait :

« Cette église au cœur de cet arrière-pays de la terre du nord sera faite en pierre, je vous le demande, abbé Godefroy Tremblay.

– Mais cela est difficile, monseigneur, ces gens sont si pauvres, si démunis de tout.

– Ils verront comme ailleurs à reconnaître la gloire de Dieu. Ce temple de pierre deviendra pour eux un objet de fierté et, même s'ils n'en veulent pas, le Seigneur lui-même verra à sa réalisation. Envers et contre tous. Le Seigneur ordonne et nous devons exécuter...

– Bien sûr... »

Je savais ce projet difficile à réaliser. J'ai pourtant accepté d'être curé à Sainte-Agnès et de tenter d'y ériger un beau temple de pierre pour la plus grande gloire de Dieu. Mais pour mon plus grand malheur, les gens de ce pays étaient des bêtes féroces, des fauves mordants. Le pire d'entre eux était le nommé Louis Larouche. Un démon sorti droit de l'enfer et capable d'embraser tout un pays.

III

« Votre église de pierre, monsieur le curé, c'est de la folie! On n'a pas d'argent par icitte! Il y a du bois. Du pauvre bois de la terre du nord, ça vaut pas cher, mais c'est tout ce qu'on a par icitte! »

Voilà ce que me disaient invariablement les Tremblay, les Simard, les Chouinard, les Bouchard et tous les pauvres habitants de Sainte-Agnès. Mes paroissiens vivaient dans de modestes maisons de bois. Ils ne voyaient pas pourquoi le bon Dieu serait mieux logé qu'eux. Personne à Sainte-Agnès n'avait d'argent. Aucun paroissien ne possédait de fortune ou était riche. Tous de misérables habitants. Le plus pauvre de mes paroissiens était ce Louis Larouche. Certains le disaient endetté. Son désir était de devenir riche. Il avait gagné la ville de Québec. Il en était revenu plus pauvre que Job mais avec, disait-il, un savoir mystérieux supposément appris là-bas. D'un certain Rémy Couture. Un homme dérangé, disait-on. Un magnétiseur. Louis Larouche prétendait désormais aussi être magnétiseur. Louis le Magnétiseur. Il comptait sur cette pratique pour trouver de l'argent et devenir enfin un homme riche.

Le magnétisme est une pratique honteuse conçue par des âmes perdues. Les hommes se livrant à ces actes cherchent à dépasser les lois édictées par Dieu. Ils pensent qu'ils sont habités par un fluide corporel leur permettant de guérir, de ressentir des choses cachées ou même de trouver des trésors. Sachant qu'un de mes paroissiens s'exerçerait à ce magnétisme, je n'avais d'autre choix que de me rendre l'exhorter d'abandonner ce rituel satanique.

Je résolus donc de me rendre chez Louis Larouche. Je ne le connaissais pas. Il ne se rendait jamais à la messe pour pratiquer la sainte religion. Il habitait, selon ce que j'avais appris, une cabane retirée tout près du Grand Lac de Sainte-

Agnès. Une autre âme égarée, une dénommée Gabrielle Gauthier, une sorcière selon les dires de quelques-uns, demeurait avec lui. Peu de gens au village les connaissaient bien. Plusieurs avaient peur d'eux. Louis Larouche et Gabrielle Gauthier se rendaient parfois au village pour acheter des vivres au magasin général et aussi pour rencontrer quelques paroissiens que le magnétiseur avait convertis à sa pratique. Il voulait les inciter à participer à sa quête de trésor. Il leur promettait des richesses en retour de leur aide. Ce Louis Larouche était une pomme pourrie qui menaçait de corrompre mes paroissiens. J'avais la ferme intention de le soumettre à la sainte volonté de Notre-Seigneur.

IV

Arrière, Satan!

Le grand vent se levait jusque vers le lac. Tes anges, Lucifer, ne pouvaient pas m'empêcher, moi l'abbé Godefroy Tremblay, curé de Sainte-Agnès, de me rendre chez ton disciple Louis Larouche. Mais, mon Dieu, pourquoi ne m'avez-vous pas protégé des affres de l'infâme? J'étais pourtant votre serviteur.

Soudainement, le vent provoquait une terrible poussière. Mon cheval parvenait à peine à demeurer sur le chemin. S'il déviait, j'étais définitivement perdu. Tout autour, il y avait la forêt et personne n'habitait dans les environs. En partant du village, le temps était pourtant beau. Mais le vent soufflait plus fort à l'approche de la cabane de Louis Larouche. Je pensais ne pas perdre la face et je croyais garder le bon chemin. Seigneur, Vous conduisiez mes pas! J'avais alors confiance en Vous.

Et j'étais bientôt proche de la cabane. Elle paraissait si minuscule. Presque enfouie sous les arbres. Toute faite en rondins de bois mal équarris. Sans trop hésiter, je me décidai à cogner à la porte du magnétiseur avec la croix du Seigneur dans mes mains. La porte s'ouvrit d'elle-même:

«Je t'attendais, monsieur le curé!»

C'était le magnétiseur. Le poêle à bois crépitait dans la cabane de Larouche. La pauvre créature habitant avec lui me fit un sourire invitant:

«Ici, monsieur le curé, il n'y a pas de place pour la souffrance et la mort. Pose ta croix de bois avec ton Christ mort et assis-toi sur cette chaise.»

J'étais scandalisé des propos de la mécréante:

«Ne sais-tu pas reconnaître ton Sauveur, pauvresse?

– Je sais que tu as froid, je t'invite à t'asseoir et c'est tout. Ton Christ ne s'est-il pas rendu dans la maison des pécheurs en son temps? Alors tu n'as qu'à faire comme lui. »

La pauvresse n'était pas totalement impie. Elle connaissait les Saintes Écritures. J'acceptai de ce fait de m'asseoir à leur table.

« Je ne t'offre aucun alcool, car il n'y en a point ici. Mais, si tu veux, Gabrielle va te faire une chaude tisane d'herbes salées », dit le magnétiseur.

Je réagis alors promptement :

« Je ne veux rien de cette mixture. Je veux te parler. C'est tout. »

Le magnétiseur dit calmement :

« Je ne parle pas beaucoup. Que veux-tu que je te dise?

– Tu dois rendre compte de tes actes à ton pasteur! »

Cependant, comme rassuré par l'accueil cordial que je venais de recevoir, j'ai accepté de boire la tisane de cette drôle de créature. Elle était jeune et belle, avec des cheveux fous plein le visage. Elle n'était ni sotte ni rebelle. Plutôt accueillante. Je me sentais comme entraîné vers elle. Sans aucune retenue.

« Que m'as-tu fait boire, malheureuse? Quel est ce filtre secret? »

Je pestais contre ma bêtise. J'avais accepté de boire une mixture de sorcière!

« Je ne suis pas une sorcière! dit alors la jeune fille.

– Elle ne sait rien du magnétisme, ajouta son compagnon. Elle est pure. La tisane ne révèle rien. Juste tes sentiments. L'amour qui est en toi. Mais ton Église veut que tu portes la haine plutôt que l'amour!

– Moi, je ne te déteste pas », dit l'étrange créature en s'inclinant vers moi.

Elle se dirigea vers le modeste lit de cèdre au fond de la pièce.

« L'amour, ce n'est pas grave, c'est la haine qui détruit, répéta l'infâme magnétiseur.

– Il faut que tu te laisses bercer par l'amour », marmonnait la diablesse.

En roulant ma boule en roulant
Trois beaux canards s'en vont baignant
En roulant ma boule

Le vent frappait sur les murs de la pauvre cabane. Elle chantait, la drôlesse. Dans ses bras, j'étais comme un oiseau libre de voler. Libre enfin. Malgré le vent contraire. Louis le Magnétiseur chauffait encore le petit poêle à bois non loin de l'établi, tout proche de la croix du Christ que j'avais laissée reposer là.

V

Au petit matin, il faisait chaud dans la cabane. La jeune femme cuisait une tranche de pain sur la flamme vive du poêle. Et je voulus quitter les lieux sans tarder, me rendant bien compte que j'avais dormi toute la nuit dans la cabane de ce pêcheur. Avais-je commis quelque geste irréparable avec cette sorcière qui m'avait peut-être drogué? Je ne savais pas, mais voilà que Louis Larouche insista pour que je reste encore un peu et, bien que me sentant fort loin de mon presbytère, j'acceptai de l'écouter encore un peu.

Le magnétiseur me raconta alors son séjour à Québec.

* * *

C'était au printemps de l'année 1834. Sur une rue proche du fleuve: la rue

Sault-aux-Matelots. Dans cette rue se trouvaient de nombreuses tavernes où des marins s'attardaient. Le port de Québec accueillait alors de grands navires anglais que des débardeurs massifs comme des chênes chargeaient jusqu'à rebords de bois... Le grand maître en magnétisme habitait au 32 de la rue Sault-aux-Matelots. Il s'appelait Rémy Couture ou *le grand Couture* comme ses disciples le nommaient à cause de son savoir mais aussi de sa taille fort impressionnante. Il fut mon maître. Je voulais qu'il m'enseigne le magnétisme. Je tenais son nom d'une rubrique extraite d'une gazette relatant ses exploits. J'hésitais presque à frapper à sa porte, mais il se tenait sur le seuil.

Je suis entré en sa demeure. Je crois que les magnétiseurs pressentent la venue des hommes à la recherche du secret un peu comme je savais que tu viendrais me voir, curé. Rémy Couture avait une modeste demeure. Avec une table, puis un lit et des livres. Des livres partout. Moi qui savais lire un peu – mais si peu – j'avais presque honte de solliciter le savoir de cet homme qui possédait tellement de grimoires et de livres reliés révélant la vérité du magnétisme.

« Tu n'apprendras rien en ce jour. Tu reviendras plus tard », me dit-il.

Je revins le lendemain. Et les autres jours. J'appris à distinguer le fluide corporel. J'avais le don. Rien de sorcier en tout cela. Tout se révèle en nous. Seulement en nous. Mon maître, le grand Couture, était clair à ce sujet :

« Le savoir, c'est le désir de connaître. Sans désir, il n'y a pas de connaissance. En reconnaissant le fluide du mal, le fluide du bien, tu peux guérir, tu peux trouver des trésors, mais il faut que tu le veuilles ardemment. Plus fort que le courant du fleuve devant nous. Plus fort que la force même qui te pousse à vivre. Le fluide, ton fluide, c'est la vie. Reconnais la vie en toi et elle te permettra d'être un vrai magnétiseur. »

Tout cela me semblait confus. Et pourtant si simple. J'avais ce fluide en moi qui me conduirait vers le trésor. Et cette quête du trésor me libérerait des biens matériels et je serais riche alors. Le grand Couture ne me demandait pas d'argent en échange de son savoir. Il me laissa un livre que je conserve depuis : un traité de ce médecin allemand, Franz Mesmer, sur le magnétisme animal. Mais le grand Couture avait encore une histoire à me raconter :

« Je vais te dire l'histoire du marin Rousseau. Tu habites la terre du nord. Il y a là-bas, dans la contrée *des loups*[1] de la baie Saint-Paul, le sinistre cap aux Corbeaux. Nul ne s'y rend que des êtres courageux. N'arrivent au sommet que les hommes détachés de la peur d'Éblis, de Lucifer. Car ce cap se nomme aussi le cap aux Diables, et des sabbats noirs de démons s'y déroulent souvent. Je ne sais pas si je devrais t'en dire plus. Sur le sommet du cap aux Corbeaux, il y a un trésor gardé par ces diables. Un trésor enseveli là par un marin français qui s'appelait

1. Blason populaire attribué aux habitants de Baie-Saint-Paul.

Joseph Rousseau, et ce, juste avant la victoire des Anglais sur les plaines d'Abraham en 1759. Le pauvre navigateur avait enseveli ce trésor sur le cap aux Corbeaux dans l'espoir de le retrouver après la guerre. Il avait mis son trésor sous la garde de Satan et de tous ses amis. Ce trésor contenait des pierres précieuses et des pièces acquises par des larcins que Rousseau avait commis sur un navire marchand avant de quitter la France. Il craignait que son trésor ne lui soit dérobé par les Anglais. Mais, peu de temps après, les Anglais le firent prisonnier et le pendirent à la vergue d'un de leurs navires. Le trésor de Joseph Rousseau est depuis gardé par les démons. Bien des hommes alertés par la rumeur de l'existence de ce trésor l'ont cherché depuis. Nul ne l'a trouvé. J'ai moi-même tenté de m'y rendre mais sans succès, car je me suis fracturé une jambe avant d'atteindre le sommet du cap. Mes compagnons m'abandonnèrent par crainte de l'action maléfique des démons. Seul, avec grand-peine, je parvins pourtant à me traîner vers le village de Baie-Saint-Paul où des paysans me soignèrent. Je ne

VI

Et Gabrielle, la traîtresse, me tendait cette fois une tranche de pain :

« De ce pain-là, il faut que tu manges, Godefroy Tremblay, curé de Sainte-Agnès. Ce n'est pas le corps du Christ, rien que du pain noir de l'habitant d'ici qui en arrache sur sa terre de roche. Elle ne produit pas de blé en abondance, cette terre-là. Et cela donne du pain dur, le plus sec de la terre, celui de la terre du nord qui nourrit les pauvres hommes et femmes de ce pays trop rude.

– Je sais tout cela, mais les gens d'ici sont menteurs et fourbes comme toi, Gabrielle, qui m'a abreuvé d'un poison hier, et j'ai perdu mémoire de ce qui est advenu en cette nuit. Qu'ai-je fait cette nuit? Me suis-je perdu avec toi? »

Le magnétiseur en revint à son appel :

« Tu nous aideras à trouver ce trésor. Je partirai avec des hommes de la paroisse mardi prochain à compter de six heures du matin. Je passerai te prendre au presbytère. Tu viendras, n'est-ce pas? »

Me tournant vers Gabrielle, je demandai :

« Toi, tu viendras aussi?

– Non, il n'y a pas de femmes dans cette expédition, répliqua le magnétiseur.

– Je t'attendrai ici, me dit-elle, tu viendras me voir après...

– Non! m'écriai-je. Je suis tombé dans les griffes du démon. Vous êtes des suppôts de Satan! »

Je pris mon manteau et je me précipitai vite au dehors où ma calèche et mon cheval m'attendaient encore. Je regagnai sans tarder le presbytère où je me mis à pleurer devant la croix du Christ. J'entendais le magnétiseur :

« Je serai là mardi matin... »

Et j'entendais surtout la sorcière :

« Je suis à toi, pour toujours. Tu le sais. »

Je priais si fort. Mon Dieu, mon Dieu! Il semblait vraiment se désintéresser de mon sort. Rien de spirituel ne m'habitait plus. Et je pensais à Son église. Il fallait qu'elle soit de pierre et, avec cet argent, ce trésor, elle serait en pierre et pas en pauvre bois. Je tremblais. Je suppliais Dieu de retirer de moi ces pensées pécheresses. Mais l'idée de l'or mal acquis demeurait en mon cœur. Irrésistiblement. Une église tout en pierre... si Dieu le veut... même avec de l'or dérobé à Satan... Pourquoi pas?

VII

J'étais dans mon presbytère et je tournais en rond :

« Gabrielle, Gabrielle! »

Ce nom résonnait dans ma tête et je ne voulais plus prier. Il me fallait en savoir plus. Quel était le passé de cette pécheresse, de cette femme fourbe qui m'avait ensorcelé? Il y avait le vieux Joseph Rochefort, résidant du rang de la Miscoutine, qui savait tout sur l'histoire des gens d'ici. Je choisis de l'inviter à se rendre au presbytère après la messe du dimanche matin que j'ai célébrée sous la coupe d'une frénésie insoutenable. Je voulais ainsi interroger ce vieillard au sujet de Gabrielle.

« Ite missa est! »

La messe est finie. Enfin. Dite dans

cette salle paroissiale miteuse, cette messe était sûrement sans valeur aux yeux de Dieu. Pas encore d'église ici et j'avais le diable au cœur, il me semblait bien. Les paroissiens s'attardaient. Ils parlaient des uns et des autres. De la vieille Josette Boily mourante depuis si longtemps et même pas morte encore :

« Le bon Dieu l'a oubliée! »

Et puis la belle Yvonne Gaudreault qui avait gagné la ville sans doute pour *acheter* ou jeter bas comme ils disent. Finalement pour accoucher d'un bâtard de plus... au grand déshonneur de la paroisse. Tant pis. Qu'elle ne revienne plus par icitte, la malpropre! convenaient-ils. Que des commérages de paroisse! C'était assez...

« Il faudrait quitter les lieux maintenant, je dois fermer! Mon bon Joseph Rochefort, je voudrais vous parler. Vous viendrez avec moi au presbytère.

– Je ne sais pas pourquoi, monsieur le curé! J'ai payé ma dîme et puis je me suis confessé la semaine dernière. Je suis point dans mon tort!

– Allez, mon bon Joseph, ce n'est pas pour cela, je vous attends!

– Cré Dieu, je ne suis pas pressé. Ma vieille est morte depuis deux ans déjà et j'ai personne qui m'attend à la maison. Je peux bien m'attarder, les chemins sont beaux jusqu'à la Miscoutine. »

Le bonhomme devait bien avoir quatre-vingts ans. Il vivait seul et savait cependant tout sur la vie de la paroisse. C'est qu'il se renseignait, comme il le répétait souvent! C'est un défaut bien anodin par ici. Pas de quoi donner une terrible pénitence en confession. Et cela pouvait parfois être utile. Sitôt dans le presbytère, je m'empressai de l'interroger:

« Cette paroissienne, Gabrielle, qui vit avec Louis Larouche, cette pécheresse...

– L'enfant volée de La Malbaie, vous voulez dire?

– Non, Gabrielle?

– Oui, Philomène Du Tremble comme de son nom d'Indienne. C'est une enfant volée... C'est une longue histoire...

– Je veux la connaître, monsieur Rochefort, s'il vous plaît!

– Si vous y tenez, monsieur le curé, je peux ben faire ça pour vous! »

VIII

Pendant ce temps dans la cabane de Louis Larouche, comme je l'ai appris plus tard, une violente dispute se déroula :

« Gabrielle, je ne t'aime pas, tu le sais! criait le magnétiseur.

– Tu aimes ton trésor, lui répondait Gabrielle. Seulement ton trésor, Louis. Pauvre Louis. Je ne suis pas ici pour ça. Et dire que je voulais un enfant de toi!

– Gabrielle, j'ai déjà une femme, trois enfants, des dettes, tellement de dettes. Il faut que je donne quelque chose à ma femme pour nourrir mes enfants. Un peu de bois, un peu d'argent sonnant, Gabrielle, il me faut ce trésor.

– Mais moi, je suis Gabrielle et je sais la futilité de ta quête, pauvre magnétiseur. J'ai vécu toute jeune au cœur de la forêt avec les sorciers montagnais. Je connais le feu de l'amour et les herbes sauvages. Je peux aimer juste pour aimer. Sans raison. Pas pour la religion. Pas pour Dieu ni pour Satan. Toi, Louis le Magnétiseur, tu n'es qu'un enfant. Pas un homme. Un pauvre hère. Sans jugement. Sous la coupe d'une illusion. Tu ne m'aimes pas. Moi non plus, je ne t'aime pas. Je sais ce que je veux. Ce n'est pas toi qui peux être le père de cet enfant que je désire tant. Je retournerai dans la forêt. Auprès des Montagnais qui m'ont tout appris.

– Viens ici, belle Gabrielle, je peux cependant te donner de l'amour...

– Non, Louis, je ne veux plus rien de toi. Je n'ai jamais accepté tes avances depuis toutes ces semaines où j'ai habité la même cabane que toi et je ne céderai pas plus aujourd'hui. Ne m'approche pas, je sais me défendre!

– Pauvre folle! »

IX

Le père Rochefort me raconta l'histoire de Gabrielle :

« La pauvre enfant! Ah! monsieur le curé, la pauvre enfant! C'était en 1819 ou plutôt en 1820, son père se nommait Georges Gauthier, mais les Indiens l'appelaient "Bisnout". C'est parce qu'il allait courir les bois avec eux. Il était arpenteur, puis il voyageait sur les terres des Sauvages jusqu'aux Sept-Îles ben loin sur la Côte-Nord. Il aimait l'aventure, le bonhomme "Bisnout". Je crois que les Indiens l'aimaient ben, pis ils lui apprenaient comment voyager par là-bas dans le nord et pis "Bisnout" faisait des cartes pour le gouvernement avec ça. Enfin...

– Qu'avez-vous, monsieur Rochefort?...

– Pas grand-chose, on dirait comme un petit creux dans la gorge...

– Voici un peu d'eau...

– Avec un petit quelque chose si c'est

de votre bon vouloir, demanda le vieillard, en m'indiquant la bouteille de rhum de la Jamaïque dans le buffet du salon.

– C'est à titre de remède parfois...»

Le bonhomme était bien d'accord:

«Moi aussi, j'en garde comme remède, pis c'est sûr, monsieur le curé, que je suis jamais malade. En tout cas, je prie le bon Dieu pour rester en santé!»

Sans tarder, le père Rochefort avala rapidement la solide rasade de rhum que je lui offris.

X

Désormais à l'extérieur de la cabane, comme en ont témoigné plusieurs de mes paroissiens, Louis le Magnétiseur criait encore à Gabrielle :

« Tu n'as plus de secret pour personne... »

Et elle lui répondait :

« Enfant perdue, enfant volée, je le suis, même si dans ma tête folle le vent se perd. Mais il ne me parle jamais de toi, sombre Louis Larouche. Je cours dans le vent. La neige se crispe sur mon foulard rouge. Mais rien ne vibre dans mon ventre. Pas encore. Cela viendra pourtant. Je le sais.

– Tu es perdue, Gabrielle. Tu es une âme errante », persiflait encore le magnétiseur.

Mais rien n'arrêtait la malheureuse:

« Ta voix porte haut, pauvre magnétiseur, mais je ne te crains pas. Je n'ai plus peur de rien. Ni des loups ni des mots qui sortent de ta bouche, Louis Larouche. Toujours les mêmes mots... »

Et il criait très fort:

« Enfant volée, enfant perdue, tu te perdras et tu perdras tes eaux sur la montagne des damnés. »

Gabrielle lui répondit alors sur un ton décisif:

« C'est toi qui perdras tout, pauvre Louis Larouche, et ton trésor n'est qu'un mensonge de plus dans ton cœur. Ce n'est que du sable! Maintenant, je vais dans les bois. Tu ne me reverras plus jamais, Louis Larouche! »

là... Pis les Indiens montagnais descendaient parfois par la rivière Malbaie, pis ils s'arrêtaient à l'hôtel pour prendre de la boisson. Faut ben dire que les Montagnais aimaient pas mal la boisson. Il faut comprendre.

– Je comprends, répondis-je en lui versant encore un peu d'alcool.

– L'enfant jouait sur le bord de la rivière et, comme de raison, la femme de "Bisnout", des fois, elle surveillait moins... C'était pas pour mal faire. Et là, c'était en juin 1820, selon ma souvenance, monsieur le curé, elle a appelé sa petite fille: Gabrielle! Gabrielle! Pis rien. L'enfant ne répondait pas. Rien de rien. Elle n'était pas tombée à l'eau. Au loin, la pauvre mère a vu son enfant dans le canot avec deux Indiens montagnais qui remontaient vers le Saguenay. L'enfant pleurait, la mère criait. Mais il y avait plus rien à faire. Tout le monde de par icitte en a parlé. Le pauvre "Bisnout" a longtemps cherché sa petite fille. Il a questionné bien des Indiens. Il a fait bien du pays. Sans résultats. Sa femme est morte de chagrin pas longtemps après ça, pis lui, "Bisnout", il est parti vivre à Chicoutimi.

Il est plus revenu par icitte. Mais elle, Gabrielle, elle est revenue depuis ce printemps. Elle a été élevée par les Indiens. Eux autres, ils avaient eu l'idée comme ça de voler l'enfant de leur ami "Bisnout". Rien que par jeu, je crois ben. Mais elle est revenue, c'est pas pour rien, c'est pas pour faire plaisir à la sainte religion que je peux dire.»

Le vieux hésita.

«Pourquoi alors? demandai-je.
– C'est parce que, c'est parce que...»

Le père Rochefort n'en pouvait plus. Il tomba sur le fauteuil lourdement, endormi par la fatigue... mais surtout par le rhum de la Jamaïque que je lui avais offert bien trop généreusement.

XII

Josette Gaudreault était la marchande générale du village. Elle était têtue. Comme la plupart des gens d'ici:

«L'église de pierre, c'est non, monsieur le curé, je donne pas un sou pour ça!»

Mais je n'étais pas à son magasin afin de demander de l'argent. Je voulais simplement trouver quelqu'un pour aller reconduire le père Rochefort qui avait eu un petit malaise.

«Il a pris encore un petit coup, le bonhomme. Quelle misère», de dire la marchande criant alors à son époux, un gros rougeaud, d'aller raccompagner le vieux.

Et son mari intervint alors:

« Pour aider les miséreux, on est là, monsieur le curé, mais par pour payer pour une église en pierre », me dit alors l'époux de Josette Gaudreault qui était de plus un des marguilliers de la fabrique paroissiale.

Je n'avais rien à dire. Je voulais seulement retourner au presbytère et prier en silence. Devant la croix de mon Sauveur, de mon Dieu, Lui que j'avais offensé sans doute et même plus que je ne pouvais le croire.

XIII

Mardi, six heures du matin. Il était là. Avec d'autres hommes. Des démons comme lui. Je ne pensais pas de mal d'eux; je ne faisais que constater la vérité. Il y avait le gros Robert Martel, le forgeron, l'homme fort de Sainte-Agnès. Aussi Marc Gagné, un pauvre journalier qui se targuait parfois de culture et de livres qu'il n'avait sans doute jamais lus, car il n'y avait même pas de bibliothèque paroissiale à Sainte-Agnès. Il prétendait être membre du Parti patriote. Il dit connaître le dénommé Papineau, ce révolutionnaire, ce rebelle. Quel vilain esprit que celui-là! Et il y avait aussi Daniel Boudreault, cordonnier, ignare et entêté, le pire de tous comme je le pensais alors, un menteur, un fourbe, me disais-je. Et ce malchanceux Roland Côté, triste, revanchard, qui avait tout perdu dans l'incendie de sa maison et de sa grange l'an dernier. Ils avaient délaissé leurs épouses, leurs familles. Il les avait convaincus d'aller chercher le trésor avec lui. Ce Louis Larouche, ce magnétiseur. Il avait les cheveux plus longs que ceux d'une femme. Il portait un long manteau de peaux, mais il ne faisait pourtant pas si froid que cela. Nous n'étions qu'en octobre. Le soleil commençait à briller. La montagne semblait rouge face au presbytère. Le magnétiseur frappa à la porte. Il entra. Je n'ai pas su le repousser.

« Je compte sur toi, curé, le diable ne se montrera pas si tu viens avec nous. Nous serons six pour le voyage vers le cap aux Corbeaux. Emmène ta croix de bois! Emmène ton Christ, si tu veux, mais viens...

– Non...

– Je compte sur toi...

– Non! Non! Arrière, Satan! »

Mais je l'ai finalement suivi. Je ne voulais pas laisser seuls ces pécheurs. Sans l'assistance de Dieu. Et je voulais aussi cet argent. Pour l'église de pierre. Je n'aurais peut-être plus à quémander de misérables sommes à mes pauvres paroissiens. Je l'ai suivi.

« Elle, Gabrielle, elle n'est pas là?
– Je l'ai chassée, elle n'est plus ici. Ne t'intéresse pas à elle, curé, et suis-moi plutôt. »

Je n'en croyais rien. Elle était là, à l'orée de la forêt. Elle nous regardait partir. Je pris la croix noire du Christ sur mon épaule. J'ai suivi le magnétiseur. Je sais bien qu'elle n'était pas loin, la diablesse. Mais c'est lui que j'ai suivi : Louis le Magnétiseur.

XIV

Josette Gaudreault me criait avec force :

« Monsieur le curé, n'allez pas avec lui, c'est de la folie! C'est un diable, une âme perdue!

– C'est cela, ma brave Josette, il faut que votre curé protège même ce diable, ce paroissien perdu. Votre curé doit sauver les pécheurs de cette paroisse!

– Mais pas en péchant avec eux, monsieur le curé, vous avez tort. »

Je savais bien qu'elle avait raison. Mais j'ai suivi Louis Larouche.

« Son trésor, c'est du sable, monsieur le curé, du sable...

– Je sais bien... »

Elle se signa :

« Vous êtes un diable aussi, je crois, j'écrirai à notre évêque, je lui dirai votre faute si vous partez avec lui, monsieur le curé. Je dirai votre faute... »

Je l'ai suivi. Je n'ai pas écouté Josette Gaudreault. Elle criait. Juste derrière Josette, il y avait Gabrielle qui me faisait un signe de la main. La pauvre misérable. Mais je l'étais encore plus qu'elle. Je suis un misérable. Je me dirigeai vers le fleuve avec Louis et ses sinistres compagnons. Vers la goélette qui nous conduirait au cap aux Corbeaux.

«Je le dirai, je le dirai...» répétait la marchande générale en entraînant Gabrielle avec elle.

XV

J'étais alors un infidèle. Je savais que je m'égarais des préceptes de la Parole de Dieu:

« Vous aviez formé une idole de métal fondu contre la volonté de Dieu. Un veau d'or... »

J'étais l'abbé Godefroy Tremblay et je n'avais plus aucun mérite; je désirais l'argent, l'or, pour servir Dieu et non pas pour me servir, mais enfin, comment dire, je ne savais pas vraiment qui ou quoi croire. Et le fleuve était là devant moi. Et cette goélette avançait doucement tout d'abord et je voyais déjà l'île aux Coudres. Mais le vent se leva...

« Que se passe-t-il, sinistre Louis, tout était si calme il y a un instant? »

Voilà que je m'en remettais au jugement de ce fils de Satan et que je tremblais presque devant la puissance de Dieu...

«Je ne sais pas, curé, ce vent, je crois, il est mauvais...»

Et voilà que certains de mes compagnons se signaient et que le grand Robert Martel, forgeron, possédant une force physique si puissante, s'écria, comme épouvanté:

«C'est le vent mauvais, le nordet...»

Et le vent nous éloignait de notre but qui était le cap aux Corbeaux, nous dirigeant plutôt vers l'île aux Coudres. La fragile voilure de notre pauvre goélette se gonflait et nous nous éloignions fortement de la rive. Notre embarcation menaçait maintenant en quelque sorte de se fracasser sur l'île aux Coudres... Cette île serait-elle notre tombeau? Cette île aux coudriers ou noisetiers si jolie, si belle et où Jacques Cartier a ouï la messe avec son équipage en septembre 1535. Cette île où moi, abbé Godefroy Tremblay, je suis né...

« Il est temps d'agir, curé, et de démontrer la force de ton Dieu! » me cria le magnétiseur.

Mais le vent redoublait d'intensité et il semblait impossible même de se tenir debout face à lui! Et pourtant je le fis. Debout, avec la croix du Christ dans mes mains, je parvins à me tenir debout et deux de mes compagnons d'infortune me soutenaient. Et je dis ces paroles puissantes face à Dieu :

« Sauve ce pauvre équipage, ô Seigneur de la vie, et donne un nouvel espoir à Ton serviteur perdu... »

Et le vent cessa. La goélette retrouva sa voie. Il nous fut alors possible d'accoster à proximité du cap aux Corbeaux. Nous étions sauvés. Mais je savais déjà qu'en retour de ce miracle, il me serait vain désormais de faire appel à Dieu de nouveau. Il ne m'entendrait plus. Il demeurerait sourd. Cependant, Louis le Magnétiseur se moquait de mes inquiétudes :

« Ton Dieu maintenant va nous permettre de trouver le trésor! Montons sur le cap avec la croix si tu veux...
– Je veux bien... »

Mais dans mon cœur et dans mon âme transie de peur, repentante désormais, je sentais bien que tout était perdu et pour toujours.

XVI

Ce Louis Larouche est un démon. À mesure que nous escaladions le cap aux Corbeaux, il criait des paroles infâmes à l'adresse de Dieu :

« Dieu du ciel, je ne crains ni de prononcer Ton nom ni de demander Ton aide. Tu as dit : "Heureux les pauvres, ils auront la terre en héritage." Je veux cet héritage, cette bonne fortune. Je sais qu'elle se trouve au sommet de ce cap noir... Allez, curé, lève ta croix encore plus haut! »

Et je m'exécutai. J'étais totalement sous son emprise. Comme semblaient l'être aussi les autres malheureux qui formaient expédition avec nous. Louis Larouche les avait chargés de pesants fardeaux : des pelles, des pioches, des seaux, des valises remplies de curieux livres reliés, plusieurs caisses avec du sable dedans. Louis Larouche disait qu'il remplacerait ce pauvre sable de Sainte-Agnès par des pièces d'or lorsque nous serions au sommet du cap aux Corbeaux. Nous n'avions peu ou pas de nourriture, pas d'eau sinon celle, salée, du fleuve que le magnétiseur prétendait utiliser pour trouver son trésor. Il disait que nous ne demeurerions que quelques heures au sommet et il prétendait même avec conviction que nous serions de retour à Sainte-Agnès dans la soirée. Il était encore tôt. À peine dix heures du matin. Nous fûmes bientôt au sommet de ce cap peu élevé. Et voici que le magnétiseur devant l'immensité du fleuve et devant la baie de l'Islet lança à perte de voix un long cri de défi :

« Maintenant, Dieu, tu ne peux plus m'empêcher d'agir, je suis souverain au sommet du cap aux Corbeaux. »

Le magnétiseur étendit les mains, disant bien ressentir le fluide corporel en lui. Il fit placer les caisses de sable et, en marmonnant des mots non pas en latin mais dans un langage incompréhensible, il se recommanda, je crois, au grand Satan et aux enfers. Je ne pus retenir devant ce spectacle ahurissant un sentiment d'effroi et d'horreur.

XVII

Au départ, les hommes exécutaient sans réticence les ordres du magnétiseur, même si ce dernier paraissait de plus en plus confus. Louis Larouche demanda d'abord à ce que les caisses remplies du sable de Sainte-Agnès soient vidées et leur contenu dispersé au vent. Il fallait, selon le magnétiseur, éloigner le mal venu d'ailleurs et nommément de Sainte-Agnès où le sable, sans valeur, ne sème que pauvreté et misère. Il fallait échanger ce sable contre celui du cap aux Corbeaux. Ainsi le magnétiseur fit remplir les caisses et même les valises de la terre sablonneuse du cap aux Corbeaux. Car, de toute éternité, bien que ce soit une montagne, ce cap aux Corbeaux ne semblait formé que de sable, comme si une mer avait autrefois existé à son sommet. Louis Larouche n'y voyait que magies et sorcelleries et pour lui ce sable paraissait l'assurance d'obtenir des richesses infinies.

Les autres hommes ne semblaient cependant pas convaincus de la réussite du projet du magnétiseur. Ils remplissaient les caisses et les valises de sable en maugréant et en mettant même déjà en doute la parole de Louis Larouche qui leur assurait que ce sable deviendrait de l'or à notre retour à Sainte-Agnès.

« Grâce à la force de mes mains, de mon fluide corporel, je transformerai ce sable du cap aux Corbeaux en une infinité de richesses en or!

– On sait ben, goddam, cria le forgeron Martel, ce sera pour plus tard, on sait ben! »

Mais pour l'heure, le magnétiseur dispersait de l'eau et formait un cercle où, prétendait-il, se trouvait le trésor.

« C'est là qu'il faut creuser. Et toi, curé, tu dois te tenir debout avec la croix de ton Christ! »

Les hommes commencèrent à creuser dans le sable, mais cette fois j'ai refusé d'obéir à l'infâme magnétiseur.

« Louis Larouche, tu viens d'invoquer Satan à pleine voix et tu voudrais maintenant que je t'aide dans ta triste besogne. Il ne saurait en être question. »

Cette fois le magnétiseur se déchaîna et, se précipitant sur moi, il me frappa sur la joue avec rage. Puis il m'asséna un coup de poing dans le bas du ventre et je faillis m'effondrer. Larouche m'arracha alors la croix du Seigneur et la planta dans le sable.

« Je n'ai plus besoin de toi, curé... »

Et Larouche s'élança encore vers moi en me rouant de coups partout sur le corps. Sans l'aide du cordonnier Daniel Boudreault qui vint à mon secours, je crois bien que je serais mort, brisé par la violence infinie du magnétiseur.

« Laisse le curé tranquille, pauvre Louis Larouche, tu nous as déjà assez jetés dans les flammes de l'enfer sans qu'en plus nous devenions les complices du meurtre d'un prêtre! »

Mais le cordonnier fut seul à s'inquiéter de mon sort. Les autres hommes creusaient et creusaient de plus en plus profondément dans le sable. Avec la rage au cœur, cherchant cet improbable caisson rempli d'or et abandonné là par un marin français juste avant la conquête anglaise de 1759.

« Il faut creuser, creuser encore, disait Larouche. Le trésor est là quelque part sous nos pieds. »

Dès lors, je m'assis sur le sol, pleurant et geignant, avec du sang et des larmes sur mon visage et du sable tout autour de moi. Je n'osais même plus invoquer dans ma prière le nom de Dieu que j'avais si outrageusement sali.

XVIII

Le soir venu, aucune trace du trésor ne paraissait repérable. Un trou béant, seulement, s'étendait devant nous, profond et de plus en plus impénétrable.

« C'est trop tard, on n'y voit plus rien! cria le forgeron Martel. C'est fini, il n'y a pas de trésor ici!
– Et toi, Louis Larouche, tu n'es qu'un charlatan », prononça fortement Marc Gagné.

Cet homme était puissant. Il agrippa avec force le magnétiseur et le projeta dans le sable.

« Tu as fait de nous des damnés et nous serons la risée de tous d'être venus sur ce cap maudit en quête de trésor. »

Le magnétiseur tenta de convaincre à nouveau les hommes en levant dans ses mains deux livres reliés qui se trouvaient dans les valises. Dans sa main gauche, Larouche tenait une bible avec laquelle il se signait. Dans la main droite, c'était un exemplaire d'une monographie de l'histoire du cap aux Corbeaux écrite par un auteur que je ne connaissais pas et qui racontait les sabbats que menaient les diables au début de la colonie sur ce cap. Toute la région était alors nommée le pays du huitième jour. Et Louis le Magnétiseur en lut un extrait:

«Lorsque le bon Dieu créa le monde, il eut de la terre et même du sable de reste et il dit au démon: "Je te permets de faire une partie de la terre." Aussitôt le diable se mit à l'œuvre et il fit la côte du nord jusqu'au cap aux Corbeaux... Mais il ne put jamais l'aplanir mieux qu'elle est. Le démon ne parvint pas non plus à extraire tout le sable formant le cap aux Corbeaux. Il obtint ensuite du bon Dieu la permission d'accueillir au sommet du cap aux Corbeaux tous ses amis et d'y faire des sabbats avec eux. Depuis ce temps, le pays du huitième jour et le cap aux

Corbeaux appartiennent au démon et aux forces du mal... »

Et il faut craindre les démons, expliqua alors le magnétiseur. Il vaut mieux pour vous dormir et vous apaiser sans quoi ils seront là bientôt et ils sont déjà là...

Ces incantations eurent l'effet de calmer les hommes qui semblèrent s'endormir jusqu'au matin. Tout cela ne me fit comprendre que davantage les liens entre Satan lui-même et le magnétiseur. Et, pour ma part, je ne connus pas le repos. Je ne priais plus qu'en tremblant; je ne respirais qu'à peine. J'étais transi de froid et de peur, sachant que mon sort était désormais de vivre pour toujours parmi les diables de l'enfer avec qui je m'étais perdu.

XIX

Au matin, Louis Larouche ne parvenait plus à retenir les hommes. Il avait beau invoquer son magnétisme, la Bible et tout autre livre ou grimoire se trouvant dans ses valises, rien n'y faisait. Le ton de Robert Martel le forgeron était indiscutable :

« Tu nous as trompés, Louis Larouche, nous voulons maintenant retourner à Sainte-Agnès!

– Je ne pourrai jamais payer mes dettes et je serai ruiné pour toujours! s'écriait en pleurant le malheureux Roland Côté.

– Tout ça, parce qu'on a cru en toi, pauvre fou. Je ne sais pas ce qui me retient de te frapper, de te tuer », disait Marc Gagné qui se dirigeait vers le magnétiseur avec des yeux féroces.

Mais Louis Larouche restait de marbre. Il consentit finalement à redescendre avec nous. Toutefois, il prit grand soin d'emporter un coffre plein de sable du cap aux Corbeaux en tentant de se convaincre qu'il pourrait peut-être finalement transformer cette matière sans valeur en or sonnant. Aucun d'entre nous ne le prenait désormais au sérieux.

Notre descente se fit en silence, mais je ne parvenais plus à prier. Les montagnes étaient flamboyantes des couleurs d'automne, comme ensorcelées de flammes, ce qui n'était pas sans me faire méditer sur celles de l'enfer où j'étais désormais condamné à vivre. L'île aux Coudres au loin, jolie mais inquiétante, paraissait déjà ressembler à mon tombeau, et nous arrivâmes finalement sur la rive du fleuve où se trouvait notre pauvre embarcation à voile. À bord de la goélette, je commençai à réciter mon chapelet :

Je vous salue, Marie, pleine de grâces
Le Seigneur est avec vous

Le cordonnier Daniel Boudreault,

que je croyais pourtant un mécréant, décida de m'accompagner :

Sainte Marie, mère de Dieu
Priez pour nous, pauvres pécheurs

Et tous les autres hommes, sauf le magnétiseur, se mirent aussi à réciter les prières à la Vierge, mère de notre Sauveur. Cette simple prière m'apaisait le cœur. Je savais bien pourtant que rien du défi que nous venions de lancer à Dieu ne saurait être pardonné. J'avais désiré de l'argent pour construire une église de pierre et non de bois. Il en était de même pour mes compagnons d'infortune qui avaient souhaité s'enrichir en recourant à la magie dérisoire d'un sinistre imposteur. Cette fois, le voyage en goélette se déroula sans problème. Le fleuve était calme. Nous ne respirions qu'à peine. Et notre vaine prière, je crois, s'élevait vers le ciel sans toutefois susciter en moi et en nous l'espérance d'un quelconque pardon.

Notre Père qui êtes au ciel
Pardonnez-nous nos offenses

XX

Le retour au village fut très pénible. Tous les membres de notre funeste expédition devinrent la risée des habitants de Sainte-Agnès. Même moi, leur curé, je ne pouvais plus leur imposer le respect. Les villageois disaient de nous des choses infâmes. Diables, imposteurs, sinistres imbéciles, voilà quelques-uns des sobriquets dont nous étions affublés.

Je parvins difficilement à dire la messe le dimanche suivant. L'assistance était à son plus bas. Josette Gaudreault, la marchande générale, était pourtant présente. Elle m'apostropha violemment en me couvrant d'injures :

« Diable que vous êtes, les paroissiens ont écrit à notre saint évêque et vous devrez bientôt quitter la paroisse. Vous avez trahi notre confiance en vous mêlant de magie et de sorcellerie. Peut-être même que vous vous êtes sali encore davantage avec cette sorcière, cette Gabrielle...

– Gabrielle, où est-elle? demandai-je à la marchande.

– Elle a été chassée de la paroisse. Elle s'en est retournée vivre avec les siens, les Sauvages, dans la forêt. Elle ne reviendra plus par ici. Vous ne la verrez plus jamais, monsieur le curé... »

Pauvre Gabrielle. Rejetée, éloignée, toujours enfant perdue, et je savais alors que je l'aimais et l'aimerais toujours. Ô mon Dieu, mon âme s'était pervertie à tout jamais! Je savais que Ta colère serait violente et que Ton bras vengeur me frapperait. Il ne me restait plus qu'à attendre Ta juste sentence.

Et cette sentence vint. Très tôt, le lendemain, un prêtre frappa à la porte du presbytère. C'était l'abbé Hubert Doucet, un ami, que j'avais connu lors de mes années de formation au Grand Séminaire de Québec. Il avait la mine sombre et je compris très vite qu'il n'avait pas de bonnes nouvelles pour moi.

« Mon bon Godefroy, toute cette histoire de magnétisme à laquelle tu es mêlé fait l'objet d'un scandale public. Les paroissiens...

– Je sais, ils ont écrit une lettre à notre évêque...

– Et monseigneur Turgeon s'est vite inquiété de la situation. Voici la missive qu'il t'adresse... »

J'ai lu le document sans appréhension, car je me doutais bien de son contenu :

Archidiocèse de Québec
14 octobre 1837

Abbé Godefroy Tremblay,

La rumeur venant à mes oreilles de votre participation à une expédition dirigée par un sorcier, un magnétiseur, me convainc que vous n'êtes plus en mesure d'être le curé de la paroisse de Sainte-Agnès. J'ai donc nommé dès ce matin l'abbé Hubert Doucet pour vous remplacer à cette fonction.

L'abbé Doucet sera chargé de mener à

bien la tâche de construire une église paroissiale à Sainte-Agnès. Cette église sera construite en bois d'après les plans de notre architecte Thomas Baillargé. Les marguilliers de la paroisse l'assisteront dans cette délicate mission.

Quant à vous, je n'ai pas d'autres nominations à vous offrir. Je vous invite à méditer sur votre triste sort à l'île aux Coudres où je vous demande désormais d'habiter pour le reste de vos jours. J'exige de votre part que vous ne sortiez plus jamais de cette île afin d'expier, si cela est encore possible, vos terribles péchés.

Je prie pour votre âme,

Mgr Flavien Turgeon
Évêque du diocèse de Québec

Le soir même j'avais quitté Sainte-Agnès en direction de l'île aux Coudres. J'habite depuis ce temps une petite maison ayant appartenu autrefois à mes parents. Même si je suis originaire de cette île aux Coudres, cet exil me pèse et, depuis lors, je ne parviens plus à prier. Je pense que j'ai perdu la foi. Lorsque le vent souffle trop fort, je crains même souvent de perdre la raison. Les gens de l'île me surnomment le « prêtre damné » et c'est bien ce que je suis.

XXI

J'ai fini par apprendre le sort que connurent mes compagnons d'expédition. Bien que je vive en solitaire, il m'est impossible de ne pas écouter les gens discuter et raconter encore et encore la triste histoire que nous avons vécue et qui a pris désormais la forme d'une légende terrifiante, voire diabolique.

Je sais donc que Robert Martel, Daniel Boudreault, Marc Gagné et Roland Côté, lassés d'être la risée de tous à Sainte-Agnès, ont finalement émigré vers le Saguenay où ils défrichent aujourd'hui des terres de colonisation. Aucun d'entre eux ne deviendra jamais riche, mais ils auront au moins la joie d'avoir installé leurs familles en un lieu plus hospitalier où l'avenir, sans nul doute, sera meilleur pour eux.

Quant au magnétiseur, il n'a pas survécu longtemps à notre expédition. Dès notre retour, il s'est enfermé dans sa cabane avec son coffre rempli de sable. Jamais il ne parvint de quelque manière que ce soit à changer ce sable en or. Louis Larouche ne sortait plus de sa cabane. À l'orée de l'hiver, au début de décembre, un villageois curieux se décida finalement à rendre visite au magnétiseur que personne n'avait revu depuis des lustres. Il découvrit le pauvre Louis Larouche étendu sur son lit, mort gelé depuis plusieurs jours déjà. Le corps du magnétiseur fut enterré dans le secteur non consacré du cimetière de Sainte-Agnès, sans épitaphe, dans la fosse commune comme l'Église catholique le fait avec les mécréants qui se sont égarés du droit chemin.

L'église de bois de Sainte-Agnès a finalement été construite. L'abbé Hubert Doucet est devenu un pasteur apprécié de ses paroissiens. Josette Gaudreault est toujours marchande générale et son mari occupe encore la fonction de marguillier de la paroisse. Le père Rochefort est toujours vivant et il finira bien par atteindre cent ans. Toutefois, plus personne n'évoque mon nom à Sainte-Agnès par crainte d'attirer les démons, dit-on.

Un beau jour d'été, un étranger se rendit au presbytère de Sainte-Agnès afin de savoir où habitait Louis Larouche. C'était le grand Rémy Couture. L'abbé Doucet connaissait bien la réputation de ce triste individu reconnu comme magicien ou comme magnétiseur et il lui demanda de quitter immédiatement la paroisse, ce que Rémy Couture fit sans trop tarder après qu'il eut appris le triste sort de son ancien élève.

Mais de Gabrielle, point de nouvelles. Nul ne sait où elle se trouve. Personne n'en parle. Et je crains, bien sûr, d'aborder la question avec quiconque. J'aime toujours cette enfant perdue. Je garde cela en mon cœur. Je ne crains plus Dieu. Il ne peut pas me voler cet amour qui demeure en moi, cette flamme jaillissante qui me brûle souvent et qui me réchauffe parfois lorsque tout est froid et glacé autour de moi.

Et pour tout ce qui me concerne, le sort ne peut m'être favorable. Je le sais bien : j'ai tout perdu et il faudra que je me perde pour toujours...

ne suis plus appelé par lui, mais par toi, ma Gabrielle. J'ai appris à vivre sans lui, mais je ne vivrai plus jamais sans toi.

S'il me restait quelques conseils à donner – encore faudrait-il que quelqu'un puisse m'écouter et me prendre au sérieux –, je dirais qu'il ne faut pas croire aveuglément. Ni chercher l'or ou la gloire. Mais être simplement un homme et si possible un homme libre de croyances perverses qui sont seules totalement démoniaques. Le diable et le mal ne surgissent que lorsque l'on croit posséder une vérité absolue. Il n'y a pas d'absolu, ni de divin. Aucune croyance ne mérite qu'on s'y attarde trop longtemps et surtout pas qu'on s'y perde. Ma Gabrielle, si j'avais compris cela avant comme j'aurais su t'aimer, toi qui fus si souvent rejetée et mise au ban de la société des hommes. Gabrielle, je sais maintenant que je t'aime, mais aussi qu'il est trop tard et que rien ne fut jamais possible. Pourtant, seul le souvenir de cet amour me permet encore de vivre à chaque jour. Tu restes, ma Gabrielle, en mon cœur pour toujours, pour l'éternité.

Et je sais bien le sort qui m'attend. Un bon jour, lassé du vent qui siffle sans cesse sur l'île aux Coudres, lassé du sable soulevé par ce vent, je me dirigerai vers le fleuve. Je prendrai alors un canot sur la rive et, avec la seule force de mes bras, je ramerai contre le courant. Et finalement je me perdrai. Et nul ne retrouvera mon corps. Et plus personne ne parlera jamais de l'abbé Godefroy Tremblay, le « prêtre damné » de l'île aux Coudres.

XXIII

En souvenir de l'abbé Godefroy Tremblay, autrefois curé de Sainte-Agnès.

Celui qui a été surnommé le « prêtre damné » de l'île aux Coudres fut d'abord un serviteur fidèle de notre Sainte Église catholique. Je l'ai connu lors de sa formation au Grand Séminaire de Québec et nul ne parut plus priant et dévoué à la vraie foi que cet homme.

Toutefois, le ministère pastoral conduisit l'abbé Godefroy Tremblay, dès après son ordination, dans la terre du nord, ce difficile pays de montagnes où il faut côtoyer à chaque jour la misère des plus humbles des hommes établis sur des terres de roches ingrates et si misérables. L'abbé Godefroy Tremblay reçut la mission de faire construire une église en la paroisse de Sainte-Agnès et voilà le projet qui allait le perdre. Il ne connut que misères et souffrances dans sa démarche.

Faut-il juger les moyens qu'il crut bon d'employer afin de réaliser ce projet voué au culte de notre Seigneur et Sauveur? Ce n'est pas à nous de le dire. Seul le Seigneur peut juger et pas nous, pauvres pécheurs. L'abbé Godefroy Tremblay a-t-il perdu la foi? Ou plutôt sa foi fut-elle mise à rude épreuve par Dieu Lui-même? L'abbé Tremblay a-t-il sombré sans le vouloir vraiment dans le péché? Nous devons ici nous contenter de recommander l'âme de ce malheureux prêtre aux prières de toute la communauté des baptisés de notre Sainte Église catholique.

Pensons tristement à son corps perdu dans les eaux noires et froides du fleuve et que nul ne retrouva jamais. Pensons aussi avec désolation que l'abbé Godefroy Tremblay n'aura jamais de sépulture chrétienne. Imaginons un peu son désarroi, dans sa frêle embarcation perdue sur des eaux menaçantes, et à ses derniers moments de vie avant de sombrer pour l'éternité. Face à toute cette souffrance, gardons simplement à l'idée la bonté infinie de Notre-Seigneur qui sait parfois, même face aux plus grands pécheurs, se ressouvenir de Son amour et même quelquefois sauver des âmes que les croyants dans la faiblesse de leurs jugements pourraient imaginer perdues pour toujours.

Abbé Hubert Doucet
Extrait du Cahier des prônes de la paroisse de Sainte-Agnès.

Épilogue

« Il faut vous dépêcher, monsieur l'abbé! Elle va mourir! »

L'abbé Eugène Lapointe pénètre rapidement dans la chambre de Sœur Marie de la Pitié.

« Mon père, je suis si heureuse de vous voir... Je dois me confesser... »

Sa voix est si faible que l'abbé Lapointe l'entend à peine.

« Qu'avez-vous, ma sœur, vous si bonne, à confesser de si important?

– Mon père, je n'ai été baptisée qu'à dix ans, vous savez...

– Mais comme vous avez bien servi le Seigneur depuis ce temps...

– C'était en 1849, avant cela, j'avais vécu avec ma mère chez les Indiens montagnais. Ma mère n'était pas une

Indienne, mais elle avait été enlevée par les Indiens chez ses parents alors qu'elle n'était qu'une enfant. C'était Gabrielle Gauthier...

– L'enfant volée de La Malbaie...

– C'est bien cela, mon père. Ma mère ne détestait pourtant pas les Indiens montagnais pour cela. Ils l'ont toujours bien traitée. Elle a vécu comme une Indienne. Elle a pris les coutumes ancestrales des Montagnais. Mais ma mère a voulu revenir parmi les siens à l'âge adulte. Ses parents étant morts depuis longtemps, elle se retrouva orpheline et sans famille, et partout les habitants la traitaient comme une Indienne. Seul Louis Larouche, un magnétiseur, un sorcier, l'a accueillie dans sa cabane. Ma mère n'aimait pourtant pas cet homme. Elle m'a dit n'avoir jamais péché avec lui, vous comprenez, mon père?

– Oui, je pense bien...

– Mais ma mère désirait un enfant. Elle voulait que cet enfant soit blanc et pas indien. Elle souhaitait que cet enfant vive dans les préceptes de la Sainte Église catholique. Et elle est tombée enceinte sans que le père de son enfant le sache jamais. Il ne devait pas le savoir. Je suis née dans la forêt, chez les Montagnais. J'ai vécu avec ma mère durant dix ans comme une Indienne. Mais, un jour, fatiguée et malade sans doute, ma mère m'a conduite chez les sœurs de la Congrégation à Baie-Saint-Paul et elle m'a laissée à leurs bons soins. J'ai été baptisée. J'ai été bien traitée par les sœurs. Moi aussi, je suis devenue religieuse. Je n'ai jamais revu ma mère. Sans doute est-elle morte dans la forêt chez les Montagnais où elle a passé presque toute sa vie. Je crois que j'ai réalisé sa volonté, car j'ai toujours vécu au sein de notre Sainte Église catholique. Mais, il reste que... »

La religieuse s'étouffe et l'abbé Lapointe lui donne un peu d'eau.

« Mais que vous reste-t-il encore à dire, ma sœur?

– Je sais le nom de mon père. Ma mère me l'a révélé avant de me quitter pour toujours en me faisant jurer de le garder secret jusqu'à ma mort. Et voilà que je vais maintenant mourir...

– Mais qui était donc votre père, Mère Marie de la Pitié?

– Je suis la fille de l'abbé Godefroy Tremblay, dit-elle faiblement. Le "prêtre damné" de l'île aux Coudres... »

Et ses yeux se ferment doucement. Elle ne respire plus. Elle est morte. L'abbé Eugène Lapointe se contente alors de prier simplement pour cette âme apaisée qui vient de se joindre pour toujours, croit-il sincèrement, au chœur céleste des anges du ciel.

Et, depuis ce temps, personne ne se souvint plus de l'histoire de Louis Larouche, dit le Magnétiseur, et de l'abbé Godefroy Tremblay, surnommé le « prêtre damné » de l'île aux Coudres.

Notes historiques au sujet de l'histoire de Louis le Magnétiseur.

Au cours de mes recherches au sujet de l'histoire de Charlevoix, j'ai été amené à consulter divers documents historiques difficiles d'accès et dont certains se retrouvent dans des archives diocésaines. L'histoire de Louis Larouche est donc inspirée librement mais à peu près intégralement d'un récit extrait d'une lettre, rédigée d'après des faits décrits comme véridiques par un curé de Sainte-Agnès au milieu du XIXe siècle et adressée à l'évêque de Québec. Cette description de l'histoire d'un magnétiseur de Sainte-Agnès a suscité en moi une forte impression et j'ai voulu depuis de nombreuses années en faire un récit accessible au grand public.

Le personnage de Gabrielle Gauthier est fictif, mais l'histoire de l'enfant volée de La Malbaie est légendaire. Une petite brochure signée par l'abbé François-

Xavier Frenette intitulée *L'Enfant volée de La Malbaie* a même été publiée à ce sujet en 1952.

L'abbé Godefroy Tremblay a réellement existé. Toutefois, s'il a été impliqué dans la construction de l'église de Sainte-Agnès, il ne connut jamais Louis Larouche le Magnétiseur. C'est un autre curé à qui nous conserverons l'anonymat qui rédigea l'histoire de Louis Larouche. Le nom de Louis Larouche est bien celui du magnétiseur décrit dans la lettre de ce curé.

Par ailleurs, l'abbé Godefroy Tremblay a vécu une paisible et sereine retraite à l'île aux Coudres où tous louèrent sa foi et ses grandes vertus. Je me suis servi de son nom à des fins littéraires seulement.

Mon objectif en relatant ce court récit est de montrer une facette peut-être négligée de notre passé où nos ancêtres ne seraient pas tous décrits comme des fidèles inconditionnels de l'Église catholique, selon ce qu'une certaine historiographie a longtemps laissé croire, mais plutôt comme des hommes et des femmes attirés par le merveilleux et le fantastique au cœur de leur quotidien trop souvent rude et exigeant.

DISTRIBUTEURS EXCLUSIFS

Distributeur pour le Canada et les États-Unis
LES MESSAGERIES ADP
MONTRÉAL (Canada)
Téléphone : (450) 640-1234 ou 1 800 771-3022
Télécopieur : (450) 640-1251 ou 1 800 603-0433
www.messageries-adp.com

Distributeur pour la France et autres pays européens
HISTOIRE ET DOCUMENTS
CHENNEVIÈRES (France)
Téléphone : 01 45 76 77 41
Télécopieur : 01 45 93 34 70
www.histoire-et-documents.fr

Distributeur pour la Suisse
TRANSAT S.A.
GENÈVE
Téléphone : 022/342 77 40
Télécopieur : 022/343 46 46

Dépôts légaux
1er trimestre 2005
Bibliothèque nationale du Canada
Bibliothèque nationale du Québec

Achevé d'imprimer en février deux mille cinq, chez Gauvin, Gatineau, Québec